À la bibliothèque

À Valentine et à sa maman Agnès.
M.

www.editionsflammarion.com

© Flammarion, 2013
Éditions Flammarion – 87, quai Panhard-et-Levassor, 75647 Paris Cedex 13
ISBN : 978-2-0812-9893-4 – N° d'édition : L.01EJEN001042.C005
Dépôt légal : octobre 2013
Imprimé en France par Pollina S. A. – 07-2015 - L73206B
Loi n° 49-956 du 16 juillet 1949 sur les publications destinées à la jeunesse.

À la bibliothèque

Texte de
Magdalena

Illustrations
d'**Emmanuel Ristord**

Castor Poche

Aujourd'hui, les CE1 de Maître Luc vont pour la première fois à la bibliothèque municipale. La maman de Selma les accompagne.

Lou et Alice sont super contentes,
elles connaissent déjà la bibliothèque.
« Vous allez voir, c'est un endroit magique »,
dit Lou aux filles.
Alice ajoute :
« Il y a des livres partout, je n'en ai jamais vu autant ! »
Basil a tout entendu. Il grimace.
Il n'aime pas lire.
« Pff… j'espère qu'on ne va pas rater
la récré, au moins. »

5

Un monsieur accueille les CE1.
« Bonjour, tout le monde, et bienvenue
à la bibliothèque ! Je suis le bibliothécaire,
et l'on me surnomme Monsieur Livre. »

Monsieur Livre avance dans une salle.
« À cet étage, vous êtes dans l'espace
jeunesse, où se trouvent toutes sortes
de livres pour vous. Pour commencer,
vous allez explorer les lieux. Vous pouvez
regarder des livres, mais ensuite il faudra
les ranger à leur place ! »

Maître Luc fait des recommandations
à ses élèves :
« Soyez calmes, déplacez-vous sans courir,
et prenez grand soin des livres. »

Les enfants se promènent dans les rayons.
Il y a des livres de toutes les tailles
et de toutes les couleurs.
Tim dit :
« C'est comme un labyrinthe,
on peut se perdre.
– Et si on n'aime pas lire, on fait quoi ? »
dit Basil, affalé sur les coussins.

La mère de Selma vient voir Basil.
« Je suis certaine que tu vas trouver un livre
pour toi. Va faire le tour des rayons. »
Basil n'est pas convaincu, mais il obéit
et se lève.

Dans le rayon des documentaires,
Réda découvre une encyclopédie
sur les avions.
Il lit à haute voix leurs noms :
« Planeur, concorde, avion de chasse. »

Tim cherche des bandes dessinées
sur les pirates mais il s'énerve,
car il ne les trouve pas.

Mia et Fatou sont installées autour
d'une table avec une pile de romans
sur les chevaux. Elles ne savent pas
lequel feuilleter en premier.

11

Bob a trouvé un grand livre sur le corps humain.
Basil et lui rient en regardant les corps
tout nus.
Ils se chuchotent des bêtises à l'oreille.
Selma, qui lit le premier tome d'une série
sur les princesses, les entend
et fait les gros yeux.

Maître Luc rassemble la classe au coin conte. Les élèves et la maman de Selma s'assoient sur des marches.
Monsieur Livre s'installe en face du groupe. Il présente des albums, et les CE1 doivent choisir lequel il va leur lire.

Monsieur Livre commence la lecture.
« Il était un ogre, gros, gras, grincheux… »
Il n'y a plus un bruit.
À la fin de l'histoire, tout le monde applaudit. Même ceux qui avaient réclamé une histoire de sorcière.

Pour terminer la séance, Monsieur Livre dit :
« Chacun a le droit d'emprunter un ouvrage.
Vous allez venir me voir à l'accueil pour
que je l'enregistre, et vous le rapporterez
dans quinze jours quand vous reviendrez. »

Basil ne sait pas quoi choisir.
Il va d'un rayon à l'autre en soupirant.
Le bibliothécaire vient l'aider.
« Voyons ce que nous allons pouvoir
te trouver au rayon bandes dessinées ! »

Sur le chemin du retour, le rang est bavard.
Les élèves sont surexcités par la sortie.
Réda dit :
« Avec ce livre, je vais être incollable
sur les avions et peut-être même que
je vais devenir pilote ! »
Tim lui répond :
« Les pirates n'auront plus de secret
pour moi ! »

De retour en classe, Maître Luc sort
de son sac l'album sur la sorcière. Il dit :
« Je crois que certains avaient très envie
de connaître cette histoire. »
Les enfants applaudissent.

Le silence revenu, Maître Luc commence :
« La sorcière rentre chez elle
avec un chaudron neuf et un plein panier
de provisions. Le vent souffle si fort qu'elle
a bien du mal à atteindre sa maison. »

En fin de journée, Maître Luc dit :
« Demain, c'est mercredi, vous aurez
le temps de découvrir votre livre.
– Nous, on va retourner à la bibliothèque ! »
disent Alice et Lou.

Chaque élève quitte la classe avec son livre
dans son cartable.
Basil est tout fier de sa bande dessinée,
choisie avec le bibliothécaire.

Mercredi après-midi, Alice et Lou
vont ensemble à la bibliothèque.
Elles se donnent des coups de coude
en passant devant Monsieur Livre.
« Je suis content de vous revoir aujourd'hui,
mes chères lectrices.
– Regarde qui est là ! dit Lou à Alice,
étonnée de croiser Basil.
– J'ai lu toute ma B.D. dans mon lit hier soir,
alors je suis venu chercher la suite.
C'est trop bien ! » dit Basil comme
pour s'excuser d'être là.

Quand Basil, Lou et Alice repartent,
ils sont tous les trois bien chargés.
« Heu… vous ne direz pas aux autres
que vous m'avez vu à la bibliothèque »,
dit Basil.
Les filles rient.
« D'accord, mais à condition que tu reviennes
avec nous mercredi prochain ! »

En fin de semaine, Maître Luc fait une surprise
aux élèves.

Il a installé un nouveau coin bibliothèque
dans la classe. Il ajoute :

« Ces livres sont pour vous. Et si vous avez
des livres que vous voulez donner pour
la classe, vous pouvez les apporter. »

Lundi matin, la maman de Basil dépose
un grand sac de livres dans la classe.
« Tu ne les gardes pas pour toi ?
demande Réda, étonné, à Basil.
– Ce sont les livres de ma grande sœur,
des livres de filles. Beurk ! »

Pendant la récréation, Mia et Tim rangent
les nouveaux livres dans le coin bibliothèque.
Mia découvre la série qu'elle vient
de commencer, elle est folle de joie.
Elle court embrasser Basil en agitant
un ouvrage sous son nez.
Basil dit à Réda :
« Tu vois, je t'avais bien dit que c'étaient
des livres de filles. Moi, je préfère les bandes
dessinées ! »

Retrouve aussi
tous les élèves de la classe
de **CE1** dans :

Premier jour de classe

C'est la rentrée !
Les CP sont devenus des CE1.
Un nouveau maître,
un nouvel emploi du temps…
C'est une belle année
qui commence !